Para Isabela.

© 2000 do texto por Edinha Diniz
© 2000 das ilustrações por Angelo Bonito
Callis Editora Ltda.
Todos os direitos reservados.
2ª edição, 2009
4ª reimpressão, 2022

Texto adequado às regras do novo Acordo Ortográfico da Língua Portuguesa

Coordenação editorial: Miriam Gabbai
Editora assistente: Áine Menassi
Revisão de texto: Célia Carvalho, Nelson de Oliveira, Patrícia Vilar e Maristela Nóbrega
Escaneamento e tratamento das imagens: Márcio Uva
Diagramação: Carlos Magno

CIP-BRASIL. CATALOGAÇÃO NA FONTE
SINDICATO NACIONAL DOS EDITORES DE LIVROS, RJ

Diniz, Edinha, 1949-
    Chiquinha Gonzaga / Edinha Diniz ; Ilustrações de Angelo Bonito. – 2.ed. – São Paulo ; Callis Ed., 2009.
    il. –(Crianças famosas)
    ISBN 978- 85-7416-374-1

    1. Literatura infantojuvenil. 2. Gonzaga, Francisca, 1847-1935 - Infância e juventude - Literatura infantojuvenil. I. Bonito, Angelo, 1962-. II. Título. III. Série.

09-0393.
    CDD-028.5
    CDU: 087.5

Índices para catálogo sistemático
1. Literatura infantil 028.5
2. Músicos: Literatura infantil e juvenil 028.5

ISBN: 978-85-7416-374-1

Impresso no Brasil

2022
Callis Editora Ltda.
Rua Oscar Freire, 379, 6º andar • 01426-001 • São Paulo • SP
Tel.: (11) 3068-5600 • Fax: (11) 3088-3133
www.callis.com.br • vendas@callis.com.br

Crianças Famosas

Chiquinha Gonzaga

Edinha Diniz e Angelo Bonito

callis

Em um sobrado na Rua do Príncipe, no Rio de Janeiro, morava a família Neves Gonzaga: o major José Basileu, dona Rosa e os seus filhos Chiquinha, Juca e José Carlos.

José Basileu era oficial do Exército Imperial e costumava ser severo no comando da família, mas sempre se rendia diante de um pedido da filha. Dessa vez o pedido era simples: assistir à banda na festa do Passeio Público. Era o ano de 1854, e em poucos meses, no dia 17 de outubro, Chiquinha faria 7 anos de idade.

As crianças mal podiam esperar pelo domingo.

— Os novos lampiões vão iluminar mais a noite do que os fogos da Festa de São João — comentou Chiquinha.

— Aposto que não! — desafiou Juca, para quem fogos de artifício eram o maravilhamento da vida.

— Aposto que sim! — respondeu Chiquinha, encerrando a discussão e fazendo valer sua condição de irmã mais velha.

A nova iluminação do Passeio Público prometia ser uma sensação, com cem lampiões a gás iluminando o jardim mais chique da cidade. Desde cedo, Chiquinha decidiu usar o melhor vestido, o mesmo que fora feito para a festa de Nossa Senhora da Glória do Outeiro. Dona Rosa, sua mãe, não aprovou a ideia, mas terminou deixando.

Na hora combinada, a carruagem de aluguel estacionou no sobrado da Rua do Príncipe e rumaram todos para o Passeio Público. Chiquinha não cabia em si com o seu lindo vestido de sinhazinha.

Ao chegarem, a velha banda militar já estava se apresentando no coreto. Que festa! Chiquinha se divertia muito com a banda. Achava engraçado ver o regente, que se mexia como um boneco, e os músicos, que pareciam soldadinhos de chumbo nos seus uniformes e na valentia com que atacavam os seus instrumentos.

Enquanto Chiquinha acompanhava a música, Juca reclamava:

— Eu gosto mais de fogos do que desta banda.

— Não diga bobagem, Juca! — disse a irmã. — São coisas completamente diferentes: fogos passam rápido e só encantam os olhos. Música encanta a gente por dentro.

O jardim do Passeio Público estava animado. Havia rumores de que o imperador dom Pedro II, acompanhado da família imperial, iria comparecer à festa. Juca levara de casa um pouco de miolo de pão para dar aos peixinhos do chafariz e não queria saber de outra coisa. José Carlos puxava dona Rosa o tempo todo para dar voltas em torno dos quiosques chineses.

Terminada a apresentação da banda, Chiquinha afastou-se da família e correu até a muralha do terraço para ver os navios ancorados na baía. O mar estava agitado naquela tarde, algumas ondas quebravam de encontro à parede de pedra e terminaram por molhar o seu lindo vestido. Dona Rosa alcançou-a, chamando severamente a atenção da filha:

— Não tem medo do mar, não?

— Eu não! — respondeu Chiquinha, enquanto respirava calmamente o cheiro do mar.

— Puxou ao pai, que não tem medo de nada... — disse dona Rosa, percebendo o estrago no vestido e afastando a menina do perigo.

Diante da filha com o vestido ensopado, o major decidiu acabar com a festa:

— Todos de volta para casa! — ordenou.

De nada adiantaram os protestos das crianças. Inauguração dos lampiões e chegada da família imperial, nem pensar. A muito custo conseguiram, antes de sair, tomar o refresco de pitanga de que tanto gostavam.

Os anos se passaram. Chiquinha pediu ao pai e ganhou um piano, dedicou-se muito ao instrumento, tomando aulas com um professor e praticando com o seu tio e padrinho Antônio Eliseu.

Todos os dias tio Antônio, que era flautista, visitava o sobrado da Rua do Príncipe. Era ele quem levava as músicas da moda. Naquele tempo, criança nunca atravessava os portões; estudava em casa e brincava no quintal. Mas os sons da rua chegavam a Chiquinha. Eram cantos de vendedores, hinos religiosos, rabecas de cegos, pequenas bandas. E sinos, gritos e assobios.

Aos 11 anos, Chiquinha já tocava até sonatas, sabia ler música na pauta, copiar partituras no seu álbum e solfejar. A casa vivia sempre animada pelo seu piano.

Dona Rosa, certa vez, interrompeu-a para lembrar-lhe:

— Chiquinha, minha filha, já estamos a algumas semanas do Natal. É preciso montar o presépio. Você pode se encarregar disso?

— Chiquinha ficou alegre em poder ajudar a mãe. Sentiu-se já uma mocinha por merecer essa responsabilidade. Afinal, dona Rosa acabara de ter mais um filho, o menino Feliciano, que nasceu doentinho, precisando de muitos cuidados da mãe.

Chiquinha começou a reconstituir o nascimento do Menino Jesus e, ao colocá-lo na manjedoura, fez uma promessa pelo irmãozinho doente.

Uma canção surgiu-lhe não se sabe de onde. Começou a cantarolar a melodia insistente. Correu ao piano no momento em que tio Antônio chegava.

— Acompanhe-me com a flauta, titio. Ouça isso e me diga se já escutou essa música antes.

— Hum... — Antônio Eliseu escutou pensativo. — Não, não ouvi essa música antes, mas o que isso quer dizer? Que temos uma artista na família?

— Hum, hum — afirmou, convencida, a jovem compositora.

O tio Antônio não se conteve. Levantou a sobrinha, sapecou-lhe dois beijos nas bochechas, enquanto repetia sem parar:

— Uma artista na família, uma artista na família!

Era alegre e brincalhão esse tio. Cuidou de tudo: encarregou Juca de fazer os versos para a música, distribuiu as vozes para o coral com todas as crianças da casa, inclusive os moleques escravos, e marcou os ensaios.

Na noite de Natal, tão esperada por a toda a família, tio Antônio anunciou a surpresa: a "Canção dos pastores", versos de Juca e música de Chiquinha Gonzaga!

Chiquinha Gonzaga tornou-se compositora e maestrina de sucesso. Compôs centenas de músicas nos mais variados gêneros e criou a primeira marchinha de Carnaval, "Ó abre alas":

Ó abre alas
Que eu quero passar

Ó abre alas
Que eu quero passar

Eu sou da lira
Não posso negar

Ó abre alas
Que eu quero passar

Ó abre alas
Que eu quero passar

Rosa de Ouro é que vai ganhar.

Hoje Chiquinha Gonaga é admirada por sua música e sua luta pela liberdade no país. Em sua memória, o povo carioca colocou um busto no Passeio Público, o jardim da sua infância.

Suas composições mais famosas são:

A marcha-rancho "Ó abre alas".

As operetas "Forrobodó" e "Juriti".

A polca "Atraente".

O tango "Corta-jaca" – "Gaúcho".

A modinha "Lua branca".

Edinha Diniz é pós-graduada em Ciências Humanas pela UFBA e dedica-se há mais de 30 anos ao estudo da música popular brasileira. Mora no Rio de Janeiro desde 1977. Sua atividade de pesquisa sobre Chiquinha Gonzaga já rendeu diversos livros publicados, além de discos, documentários, peças de teatro, enredos de escolas de samba e uma minissérie de TV.

Angelo Bonito desenha desde criança. Quando adolescente, trabalhou em agências de propaganda, tornando-se ilustrador. Com estúdio próprio, atua nos mercados publicitário, editorial, empresarial e de artes plásticas.